Descubre un

Texto e ilustraciones: Mercè Arànega

edebé

Colección: MATICUENTOS
Proyecto y edición: Grupo edebé

Paseo San Juan Bosco, 62
08017 Barcelona
www.edebe.com

ISBN 84-236-5253-X
Depósito Legal. B. 20849-2000
Impreso en España
Printed in Spain
EGS - Rosario, 2 - Barcelona

Julieta abre los ojos, bosteza y en seguida da un brinco para salir de la cama.

—¡Es domingo! —grita.

A Julieta le gustan mucho los domingos, porque va a casa de la abuela María, que vive **un poco lejos,** en una casa **muy grande** y llena de secretos.

La abuela María tiene **muchos secretos** guardados por toda la casa.

Hoy Julieta decide investigar si en la habitación de la abuela hay algún secreto.

Para ir a la habitación de la abuela, hay que subir una escalera **muy larga.** A Julieta le gusta subir los peldaños corriendo.

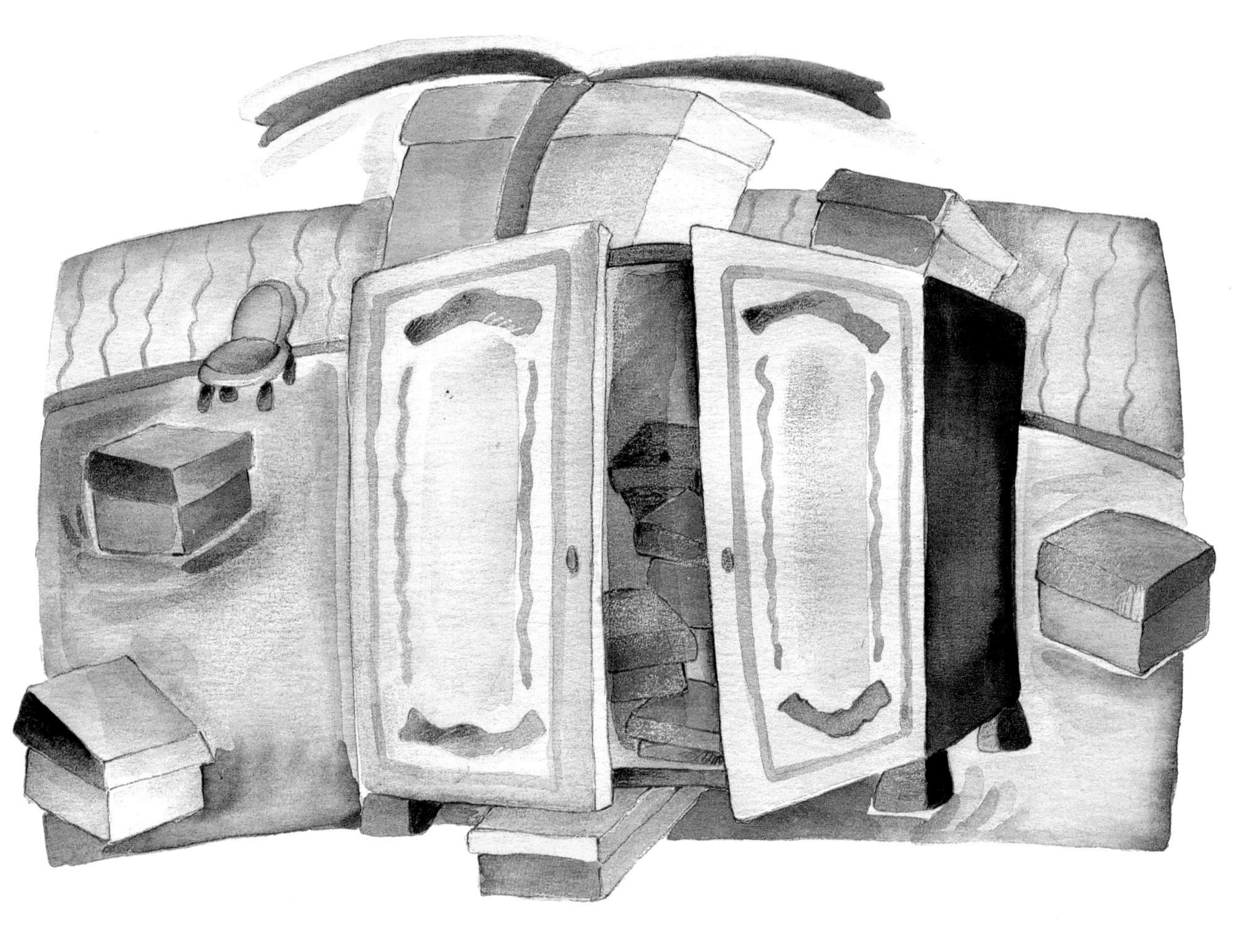

La habitación de la abuela María tiene un armario lleno de cajas.

Dentro del armario hay cajas.
Fuera del armario hay cajas.
Encima del armario hay cajas.
Debajo del armario hay cajas.

¿Qué habrá dentro de las cajas?, se pregunta Julieta.

No lo sabe, porque están cerradas.

Desde el piso de **arriba,** Julieta pregunta a su abuela:

—Abuelita, ¿qué hay dentro de las cajas?

—Son secretos, Julieta —le responde desde **abajo** la abuela.

Y se va corriendo a preparar unas croquetas.

A Julieta le gustan **mucho** los domingos, y las croquetas. Pero lo que más le gusta es que en casa de la abuela siempre encuentra nuevos secretos.

Lástima que, cuando Julieta pregunta por los secretos, la abuela sólo sonríe y contesta:

—Si te lo cuento, ya no serán secretos... Claro que tal vez puedas averiguarlo tú sola.

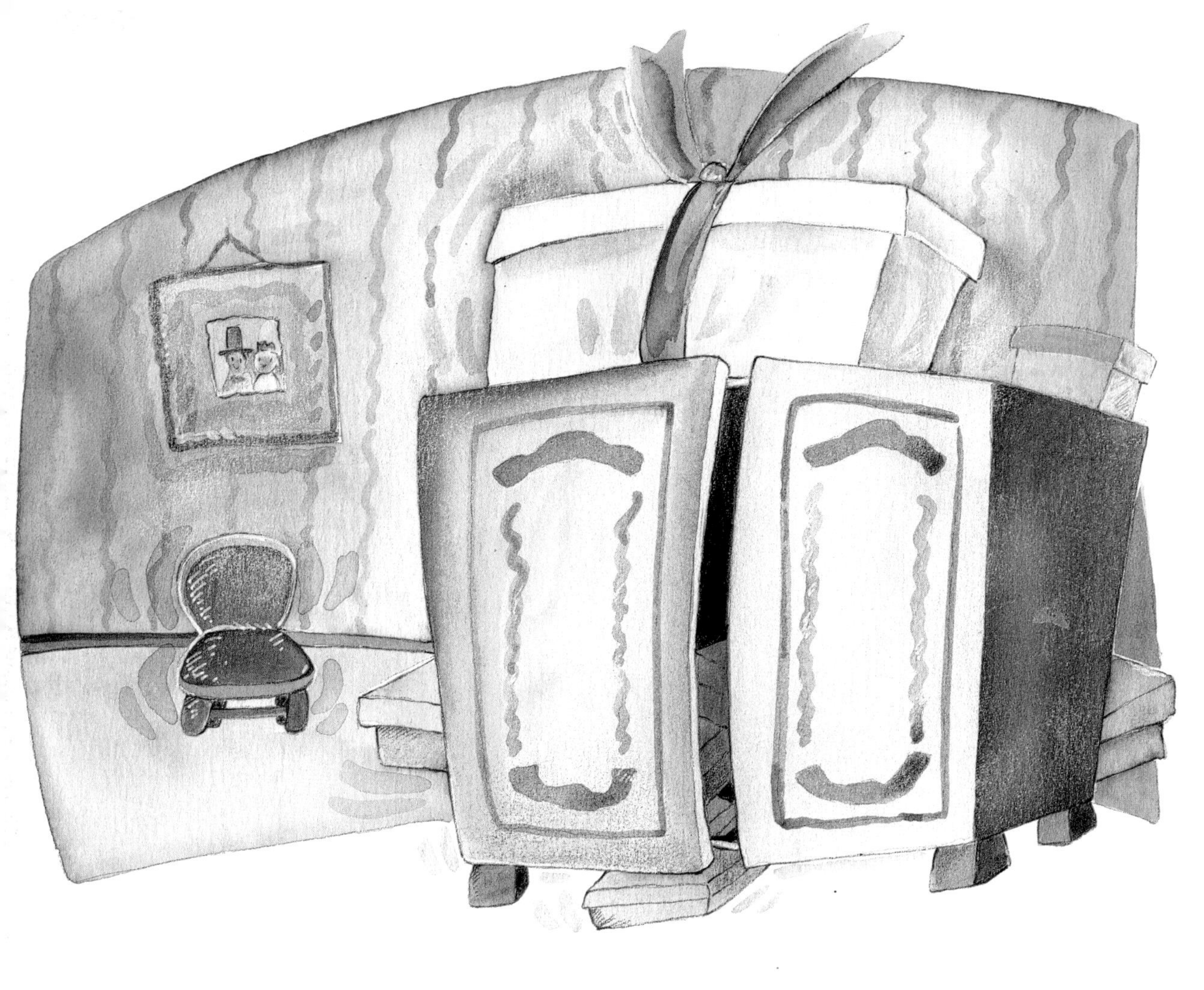

Julieta está en la habitación de la abuela. Mira con curiosidad una caja grande que hay encima del armario.

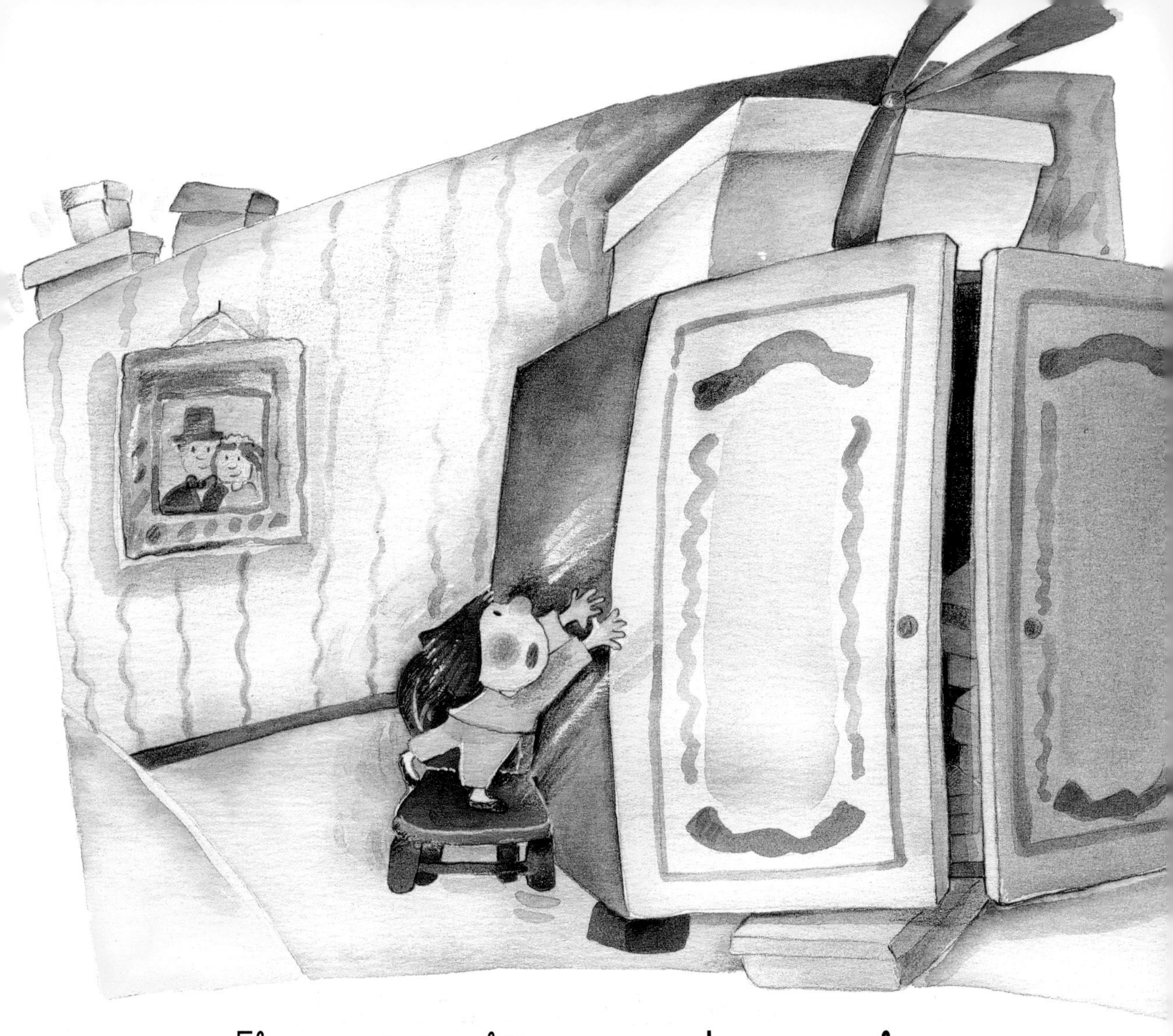

El armario también es **grande** y muy **alto.**
Julieta es pequeña y bajita.
Piensa que te pensarás, llega la solución:
se sube en una silla.

Subida en la silla no llega.

Se baja, recoge todos los libros que encuentra y los coloca **encima** de la silla. Ya casi: con las puntas de los dedos toca la caja. Hace equilibrios, resbala y...

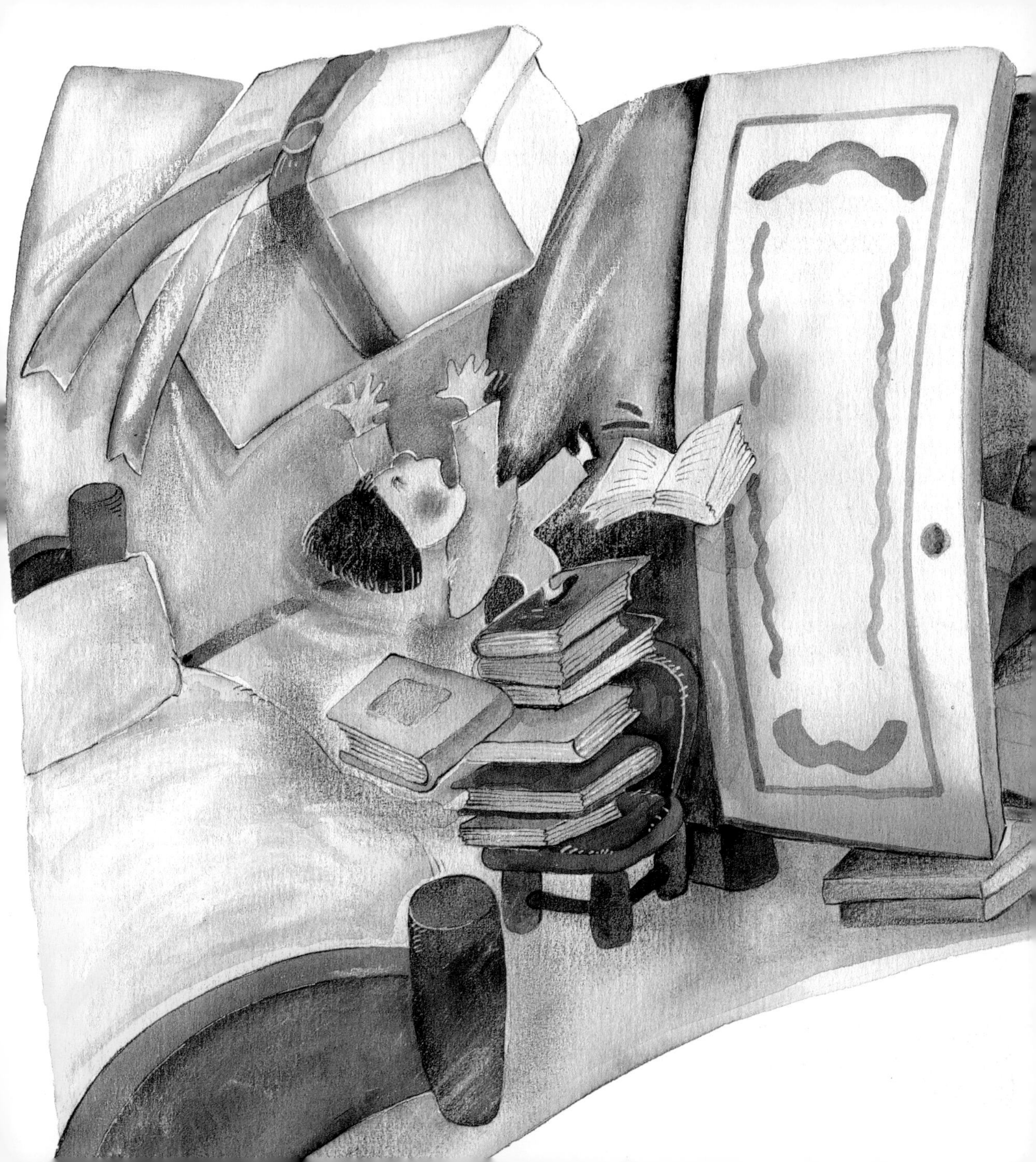

Por suerte, Julieta, silla, libros y caja se han caído **encima** de la cama. ¿Se habrá roto el secreto que hay dentro de la caja? No se ha oído ningún ruido.

Muy impaciente, Julieta empieza a desatar la **larga** cinta que sujeta la tapa.

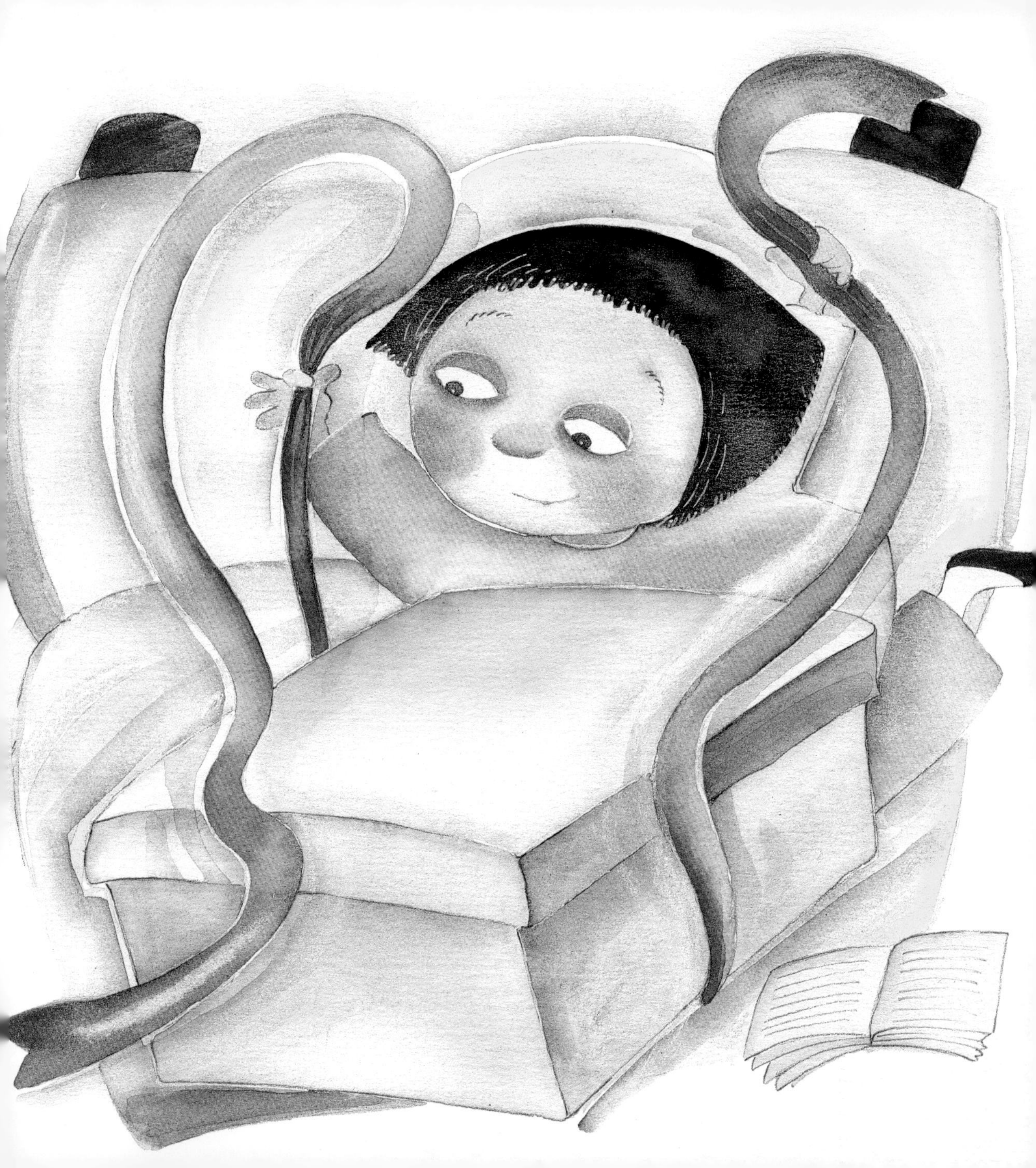

En ese momento...

—¡¡¡Julietaaa, Julietaaa!!! Las croquetas ya casi están listas. Por favor, ven a poner la mesa. Si se enfrían, no estarán tan buenas —dice la abuela a gritos, desde el comedor.

Al oír que la abuela la llama, Julieta se ha llevado un buen susto. Como si le hubiera dado un calambre, suelta la cinta y la caja. Se baja de la cama y responde:

—¡¡¡Voy volando!!!

Julieta pone la mesa. Coloca los cuchillos a la **derecha** y los tenedores a la **izquierda.**

Mientras coge los platos que están en la cocina, la abuela María le ofrece un trocito de croqueta para que la pruebe.

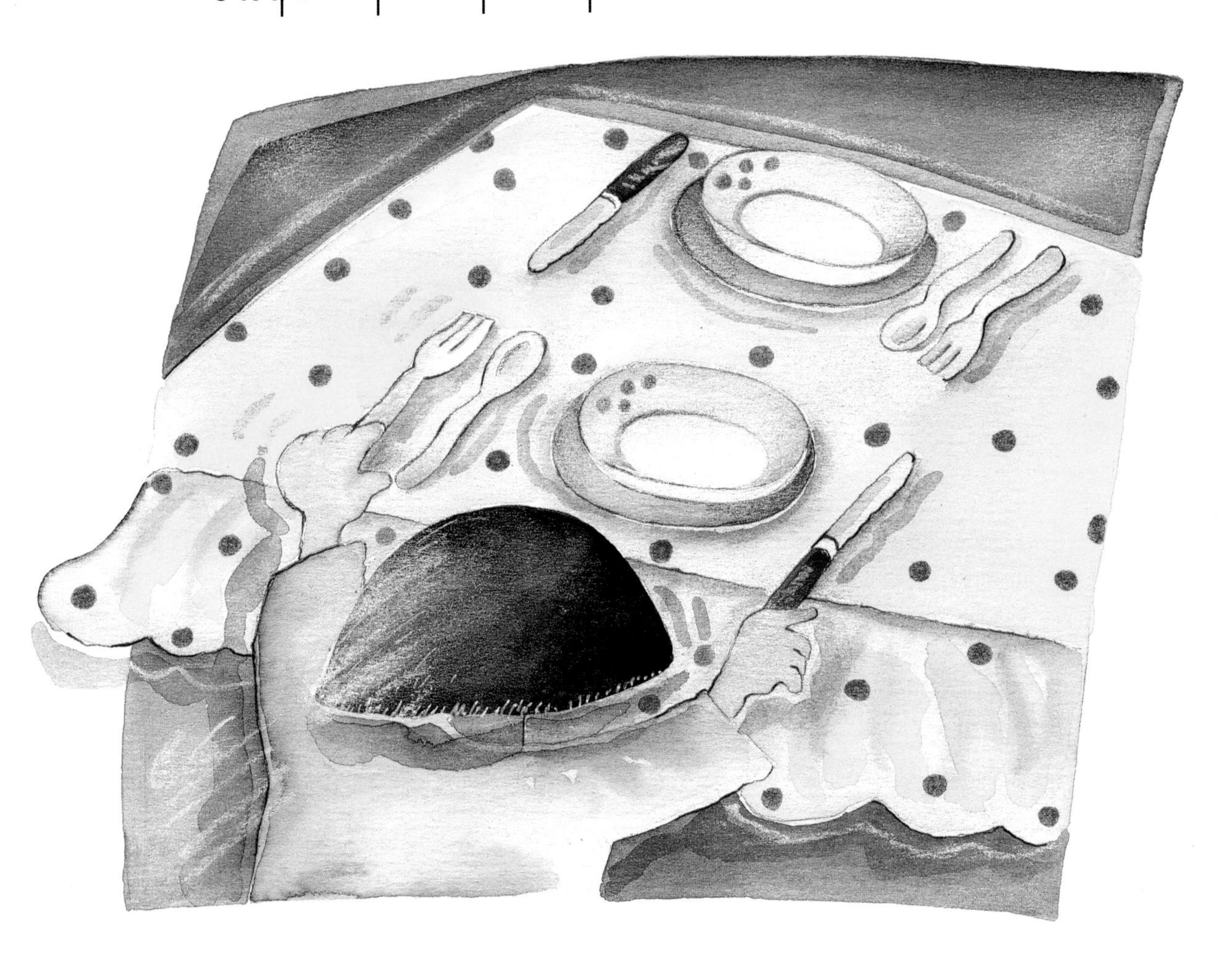

—¡Hummmm, qué buena que está! ¿Cómo te salen tan ricas?

—Es un secreto —dice la abuela.

De pronto Julieta recuerda su secreto.

—Espera, abuelita, vuelvo en seguida.

Julieta corre escaleras **arriba,** entra en la habitación y se sube **encima** de la cama. Abre la caja, mira **dentro** y...

—¡Julieta! ¡Que vamos a comer! —la llama de nuevo la abuela.

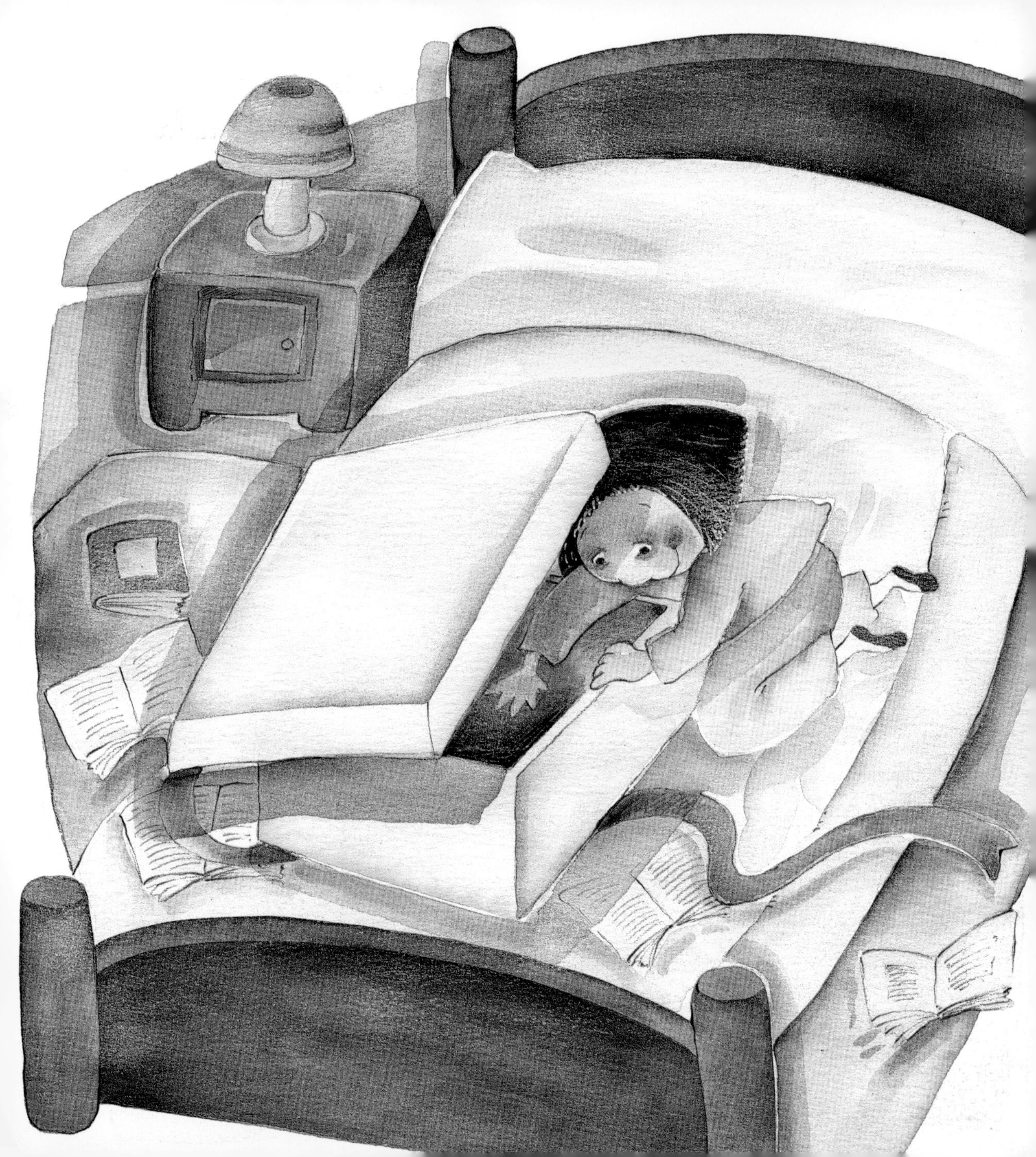

Julieta, feliz, **baja** las escaleras. Se sienta a la mesa con el secreto puesto. La abuela se ríe y comenta:

—Ten cuidado, no se manche.

Julieta está muy elegante mientras come las croquetas.

Ahora Julieta y la abuela María comparten un secreto. En la caja había...

¡Eh, que no se puede decir o ya no es un secreto!

Pero seguro que lo habéis descubierto.

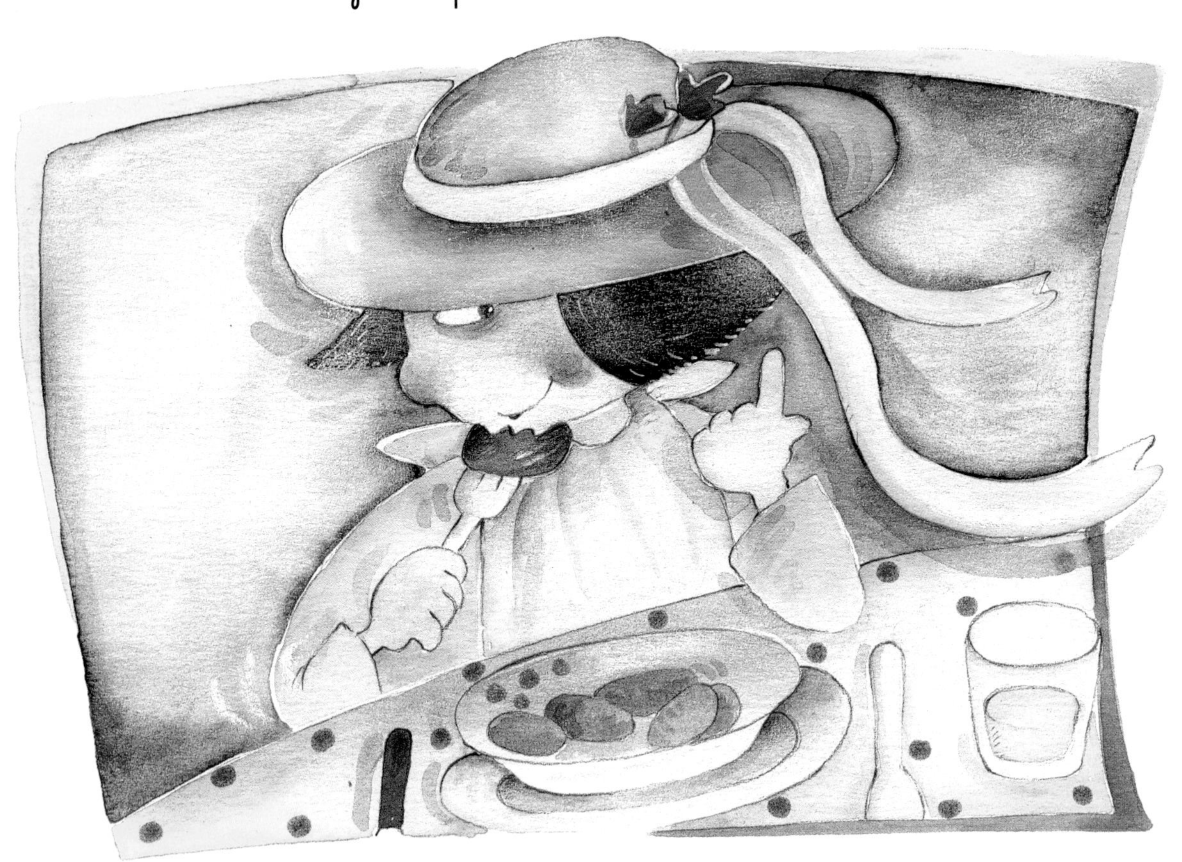

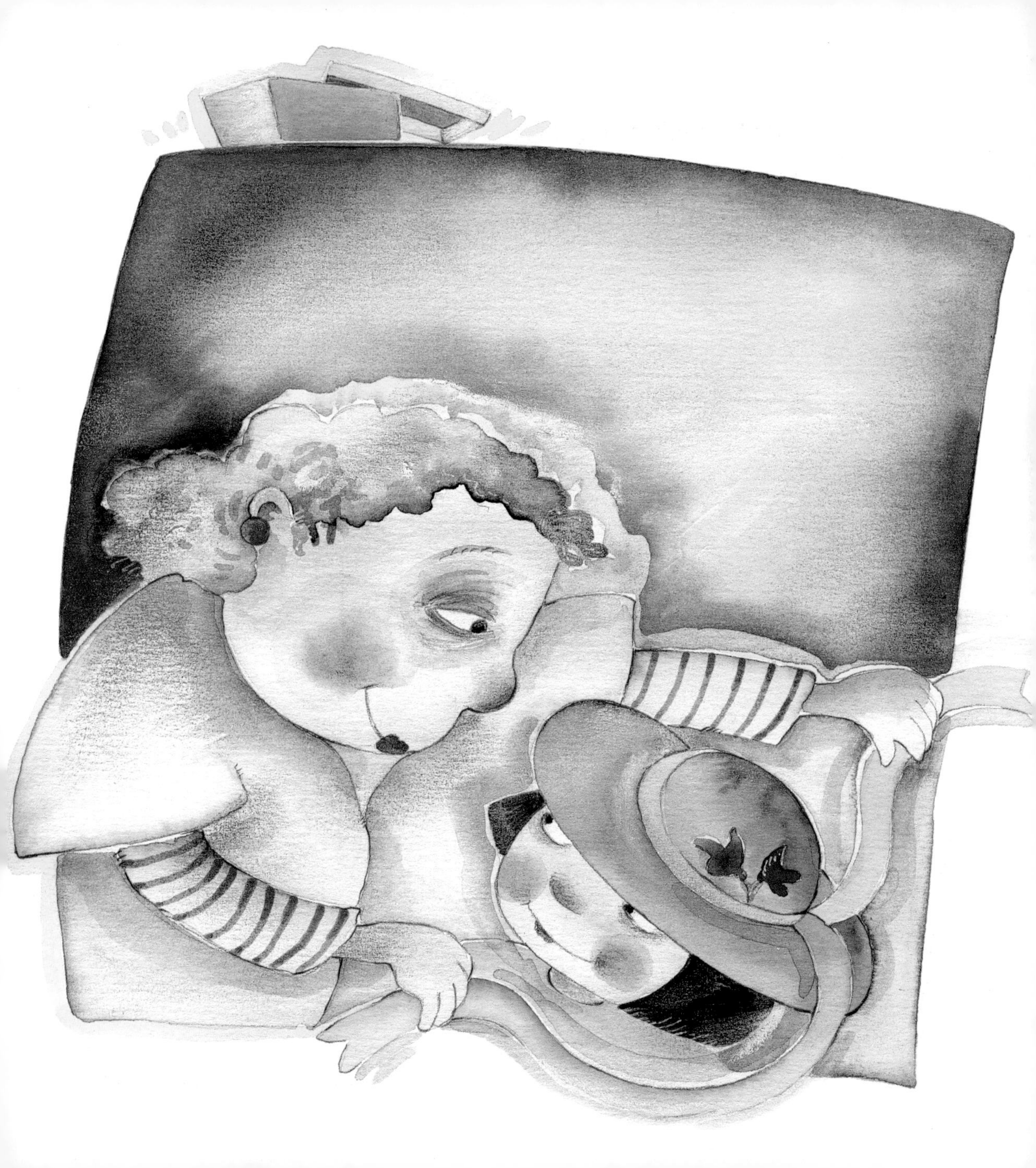

MATICUENTOS

Todos los relatos incluidos en la **colección Maticuentos** desarrollan un contenido matemático, pero tan integrado en la historia que el lector lo entiende de forma natural y lúdica. Los niños y niñas se divertirán leyendo y al mismo tiempo interiorizarán los contenidos trabajados.

Para lograr esta simbiosis, se ha contado con la colaboración de excelentes escritores e ilustradores de literatura infantil, así como expertos en educación matemática.

Descubre un secreto presenta diversas **nociones básicas de espacio,** que aparecen en el texto remarcadas para que los lectores puedan identificarlas con mayor claridad. Se trata de un contenido especialmente recomendado para los alumnos de **Educación Infantil,** que será muy útil para todos los niños con dificultades en la asimilación de conceptos de psicomotricidad. Asimismo, transmite valores elementales de **educación vial** y **educación moral y cívica.**